LE TOUR DU MONDE

EN QUATRE-VINGTS JOURS

JULES VERNE

Adapté en français facile
par Brigitte Faucard-Martinez

CLE
INTERNATIONAL

Chaque numéro de piste correspond au numéro de chapitre respectif.
Exemple : piste 1 = chapitre I

<u>JULES VERNE</u> naît le 8 février 1828 à Nantes. Vingt ans plus tard, il s'installe à Paris pour commencer ses études de droit et suivre la tradition familiale : son père est en effet un célèbre avocat. Mais Jules Verne n'a qu'une idée en tête : écrire.

Il commence par le théâtre et, grâce à sa rencontre avec Alexandre Dumas, sa comédie *Les Pailles rompues* peut être jouée.

Tout en continuant à travailler pour le théâtre, Jules Verne écrit ses premiers romans. En 1862, il publie *Cinq semaines en ballon*. Cette œuvre connaît immédiatement un grand succès.

Encouragé par ces résultats, Jules Verne ne cesse alors de travailler. *Les Aventures du capitaine Hatteras* (1864), *Les Enfants du capitaine Grant* (1867-1868), *Vingt mille lieues sous les mers* (1870), *Le Tour du monde en quatre-vingts jours* (1873), *Un capitaine de quinze ans* (1878), *Deux ans de vacances* (1888) et bien d'autres romans sont publiés pour la grande joie de ses lecteurs.

Il meurt à Amiens le 24 mars 1905.

Pendant son *Tour du monde en quatre-vingts jours*, Phileas Fogg, le héros du roman de Jules Verne, utilise plusieurs moyens de transport, parmi lesquels le train et le bateau, qui tous les deux marchent à la vapeur.

Or, *La South Wales*, première locomotive à vapeur, construite par l'Anglais Richard Trevithick, est née en février 1804 et *Le Clermont*, bateau à vapeur, construit par l'Américain Robert Fulton, navigue pour la première fois sur le fleuve Hudson en 1807.

À travers son roman, Jules Verne non seulement nous parle d'aventures et nous fait découvrir différents pays et coutumes mais il nous montre aussi les grands progrès techniques réalisés au XIXe siècle.

Les mots ou expressions suivis d'un astérisque* dans le texte sont expliqués dans le Vocabulaire, page 57.

CHAPITRE I

Nous sommes en 1872. Au numéro 7 de Saville-Row, Burlington Gardens, à Londres, habite Phileas Fogg, l'un des membres les plus remarquables[1] du Reform-Club.

Phileas Fogg est un bel homme d'une quarantaine d'années. Calme et tranquille, il vit seul avec son domestique[2], Jean Passepartout, un Français sympathique et gai, très serviable[3] et aussi très fort.

La vie de Phileas Fogg se déroule toujours de la même manière : tous les matins, à onze heures et demie, il va au club, où il déjeune et dîne et où il lit les journaux et joue au whist[4]. Il ne rentre chez lui que pour se coucher, ce qu'il fait à minuit pile.

Phileas Fogg est en effet un homme pour qui l'exactitude est fondamentale et qui ne perd pas son temps en gestes et paroles inutiles.

Ce matin, comme d'habitude, Phileas Fogg quitte sa maison à onze heures et demie et arrive au Reform-Club.

---

1. Remarquable : extraordinaire.
2. Domestique : serviteur.
3. Serviable : qui rend facilement service.
4. Whist : jeu de cartes.

Il se rend aussitôt dans la salle à manger, où son couvert l'attend et il déjeune seul.

À midi quarante-sept, il se lève et se dirige vers le grand salon où un domestique lui donne son journal. La lecture du *Times* occupe le gentleman jusqu'à trois heures quarante-cinq. Il prend alors un autre journal qu'il lit jusqu'à l'heure du dîner.

Après son repas, il se rend à nouveau dans le grand salon où il retrouve ses habituels compagnons de jeu : l'ingénieur Andrew Stuart, les banquiers John Sullivan et Samuel Fallentin, le fabricant de bière Thomas Flanagan et Gauthier Ralph, un des responsables de la Banque d'Angleterre.

– Eh bien, Ralph, demande Thomas Flanagan, où en est cette histoire de vol ?

– J'espère que nous allons bientôt arrêter le voleur, répond Ralph. Des inspecteurs de police ont été envoyés en Amérique et en Europe pour le retrouver.

– Vous savez donc de qui il s'agit ? demande Stuart.

– Le *Times* dit que c'est un gentleman.

C'est Philéas Fogg qui vient de faire cette réponse. Puis il salue ses camarades qui font de même.

L'affaire dont il est question et dont parlent les journaux s'est passée trois jours avant, le 29 septembre. Une grosse somme de billets de banque a été prise dans la caisse de la banque d'Angleterre. Or, le jour du vol, on a remarqué un monsieur très élégant et distingué qui allait et venait dans la salle.

On a tout de suite fait le signalement[1] de ce gentle-man qui a été aussitôt donné à tous les détectives[2] chargés de l'enquête[3].

– Je suis sûr, dit Andrew Stuart, que le voleur pourra s'échapper car, s'il est intelligent, il ne restera pas en Angleterre.

– Où peut-il aller ?

– Je n'en sais rien, mais la terre est assez grande, répond Stuart.

– Elle l'était, avant..., dit tout bas Phileas Fogg. À vous de couper, monsieur.

Et il présente les cartes à Thomas Flanagan.

La discussion s'arrête un moment mais Andrew Stuart la reprend bientôt en disant :

– Comment, avant ! Est-ce que la terre est devenue plus petite, par hasard ?

– Bien sûr, répond Gauthier Ralph, je suis d'accord avec monsieur Fogg, elle a diminué puisqu'on peut la parcourir dix fois plus vite qu'il y a cent ans.

– À vous de jouer, monsieur Stuart ! dit Phileas Fogg.

Mais Stuart n'est pas convaincu et, une fois la partie finie, il dit :

– Monsieur Ralph, vous avez une manière amusante de dire que la terre a diminué ! Ainsi, parce qu'on peut maintenant en faire le tour en trois mois...

---

1. Signalement : description physique de l'homme.
2. Détective : policier, en Angleterre.
3. Enquête : travail du policier pour découvrir le voleur.

– En quatre-vingts jours seulement, dit Phileas Fogg.

– En effet, messieurs, ajoute John Sullivan, et cela grâce aux progrès des transports ; c'est écrit dans le journal d'aujourd'hui.

– Oui, quatre-vingts jours, dit Andrew Stuart en faisant une erreur au jeu, sans compter le mauvais temps, les vents contraires...

– Tout compris, ajoute Phileas Fogg en continuant de jouer.

– Théoriquement vous avez raison, monsieur Fogg, mais dans la pratique...

– Dans la pratique aussi, monsieur Stuart.

– Je parierais[1] bien quatre mille livres[2] qu'un tel voyage, fait dans ces conditions, est impossible.

– Très possible, au contraire, répond monsieur Fogg.

– Alors, faites-le !

– Le tour du monde en quatre-vingts jours ?

– Oui.

– Je le veux bien.

– Quand ?

– Tout de suite.

– C'est une plaisanterie !

– Un bon Anglais ne plaisante jamais. C'est très sérieux. Je parie vingt mille livres contre qui voudra

1. Parier : se compromettre à donner une quantité d'argent à une personne si ce qu'elle dit est vrai.
2. Livre : monnaie de la Grande-Bretagne.

que je ferai le tour de la terre en quatre-vingts jours ou moins. Acceptez-vous ?

– Nous acceptons, répondent messieurs Stuart, Fallentin, Sullivan, Flanagan et Ralph.

– Bien, dit monsieur Fogg. Le train* de Douvres part à huit heures quarante-cinq. Je vais le prendre.

– Ce soir même ? demande Stuart.

– Ce soir même, répond Phileas Fogg. C'est aujourd'hui mercredi 2 octobre, je devrai être de retour à Londres, dans ce salon du Reform-Club, le samedi 21 décembre, à huit heures quarante-cinq du soir, sinon, je perds le pari. J'ai juste le temps de faire une dernière partie avant de partir préparer mes affaires.

CHAPITRE II

À SEPT HEURES VINGT-CINQ, Phileas Fogg quitte le Reform-Club. À sept heures cinquante, il ouvre la porte de sa maison et rentre chez lui.

Passepartout est assez surpris de le voir apparaître si tôt.

– Passepartout, nous partons dans dix minutes pour Douvres et Calais.

– Monsieur part en voyage ? demande Passepartout.

– Oui, répond Phileas Fogg. Nous allons faire le tour du monde.

Passepartout reste un long moment la bouche ouverte, sans pouvoir prononcer un seul mot, puis il finit par dire :

– Le tour du monde...

– En quatre-vingts jours, répond Mr. Fogg. Ainsi, nous n'avons pas une minute à perdre.

– Et les bagages ?

– Juste un sac avec peu de choses, nous achèterons en route ce dont nous aurons besoin.

Et Phileas Fogg va dans sa chambre.

Passepartout va dans la <u>sienne</u> et s'assoit sur une chaise.

– Ça alors ! En voilà une nouvelle ! Monsieur qui ne voyage jamais et qui veut maintenant faire le tour du monde !

Il reste un moment rêveur puis se lève et fait rapidement les préparatifs de départ.

À huit heures tout est prêt.

Le maître et le domestique sortent de la maison, ferment la porte à clé et vont à la station de voitures* qui se trouve près de Saville-Row. Là, ils prennent un cab* qui les laisse à huit heures vingt devant la grille de la gare Charing-Cross.

* * *

Le mercredi 9 octobre, on attend pour onze heures du matin, à Suez, le paquebot* *Mongolia* qui fait régulièrement le voyage de Brindisi à Bombay par le canal de Suez.

En attendant l'arrivée du *Mongolia*, deux hommes se promènent sur le quai[1].

Le premier est le consul du Royaume-Uni et l'autre est un homme petit et maigre, à la figure assez intelligente. Ce dernier s'appelle Fix et c'est un des détectives qui ont été envoyés dans les ports pour trouver le voleur de la Banque d'Angleterre.

Deux jours avant, Fix a reçu le signalement du voleur : il s'agit d'un gentleman très distingué.

---

1. Quai : plate-forme installée au bord de l'eau.

– Ce paquebot vient directement de Brindisi ? demande Fix.

– Oui, de Brindisi, qu'il a quitté samedi à cinq heures du soir.

– Et de Suez, il va directement à Bombay ? demande Fix.

– Directement.

– Eh bien, dit Fix, si le voleur a pris ce bateau*, j'imagine qu'il va débarquer[1] à Suez.

– Ça dépend, répond le consul. Bon, je vous laisse, je dois retourner au bureau.

Fix attend encore un peu. Le paquebot arrive enfin.

Les passagers sont nombreux à bord. Fix examine tous ceux qui descendent. C'est alors que l'un d'eux s'approche et lui demande poliment où se trouvent les bureaux du consul anglais. Le passager tient à la main un passeport. Fix, instinctivement, prend le passeport et jette un rapide coup d'œil. La feuille tremble dans ses mains : le signalement écrit sur le passeport est identique à celui qu'il a reçu sur le voleur.

– Ce passeport n'est pas à vous, dit-il au passager.

– Non, c'est celui de mon maître.

– Et votre maître ?

– Il est resté à bord.

– Mais il faut qu'il se présente en personne au bureau du consulat.

– Bon, répond le passager. Je vais le lui dire.

---

1. Débarquer : descendre du bateau.

Et il retourne à bord du bateau.

Pendant ce temps, Fix se rend rapidement au bureau du consul et lui raconte ce qui s'est passé. Puis il lui demande de ne pas donner le visa[1] à l'homme pour le retenir à Suez, le temps qu'il reçoive un mandat d'arrêt[2].

– Si son passeport est régulier, je ne peux pas refuser son visa...

Le consul n'a pas le temps de finir sa phrase. On frappe à la porte du bureau et on fait entrer deux personnes, dont l'une est le domestique qui a parlé avec Fix. Il s'agit de Passepartout et de son maître, Phileas Fogg.

Le consul prend le passeport, l'examine et met le cachet.

Phileas Fogg salue froidement et sort, suivi de son domestique.

– Eh bien ? demande Fix.

– Eh bien, répond le consul, il a l'air d'un honnête homme.

– Possible mais pas certain, répond Fix. Son domestique est français et il a l'air plus ouvert que son maître, je vais voir si je peux le faire parler.

Cela dit, il sort et se met à la recherche de Passepartout.

En quittant le bureau du consul, Mr. Fogg a donné

---

1. Visa : cachet indispensable pour entrer dans certains pays.
2. Mandat d'arrêt : ordre pour pouvoir arrêter quelqu'un.

des ordres à Passepartout puis il est retourné sur le bateau pendant que Passepartout partait faire quelques achats.

Fix retrouve bientôt Passepartout.

– Eh bien, mon ami, lui dit-il, vous avez pu avoir votre visa ?

– Ah ! c'est vous, monsieur, répond le Français. Oui, nous sommes en règle.

– Vous visitez un peu Suez ?

– Non, je vais faire des achats pour mon maître car nous avons quitté Londres si rapidement que nous n'avons pas eu le temps de faire nos bagages.

– Je vais vous montrer où vous pouvez acheter, lui dit Fix. Et où va votre maître ?

– Il fait le tour du monde.

– Le tour du monde ! s'écrie Fix.

– Oui, en quatre-vingts jours. C'est un pari qu'il a fait avec des amis.

– Il est donc riche ?

– Je crois. Il emporte avec lui une bonne quantité de billets de banque tout neufs.

On imagine facilement l'effet que cette réponse fait sur Fix.

Comme ils arrivent à une boutique, Fix quitte Passepartout et va préparer ses bagages. Il va demander à Londres de lui envoyer un mandat d'arrêt à Bombay et s'embarquer sur le *Mongolia*.

Un quart d'heure plus tard, il est à bord du steamer* qui commence à naviguer sur la mer Rouge.

CHAPITRE III

*P*ENDANT LA TRAVERSÉE, qui se déroule sans incident, Mr. Fogg a trouvé des compagnons de jeu
avec lesquels il joue des heures entières.
Quand à Passepartout, il a revu Fix avec qui il bavarde de temps en temps.

Le dimanche 20 octobre, vers midi, on voit enfin la
côte* indienne. Deux heures plus tard, le paquebot
accoste[1] les quais de Bombay.

À quatre heures et demie de l'après-midi, les passagers débarquent. Le train pour Calcutta part à huit
heures pile.

Phileas Fogg et Passepartout se rendent au bureau
des passeports puis vont tranquillement à la gare.

Le détective Fix, quant à lui, court chez le directeur
de la police de Bombay pour savoir si on a reçu un
mandat d'arrêt de Londres. On n'a rien reçu. Fix est
très déçu. Il décide de rester quelques jours à Bombay
et d'attendre.

À huit heures moins cinq, Phileas Fogg prend place
avec Passepartout dans un wagon du train. À huit
heures précises, le train part.

---

1. Accoster : arriver au port.

Dans le wagon de Phileas Fogg, il y a un troisième voyageur. C'est Sir Francis Cromarty, qui était l'un des compagnons de jeu de Phileas Fogg pendant la traversée de Suez à Bombay.

Pendant la nuit, le train franchit les Ghâtes, passe à Nassik et le lendemain, 21 octobre, il traverse le territoire du Khandeish.

À midi et demi, il s'arrête à la gare de Burhampour.

Les voyageurs déjeunent rapidement et repartent pour la gare d'Assurghur.

Vers le soir, on s'engage dans les défilés* des montagnes* du Sutpour.

Le lendemain, 22 octobre, à huit heures du matin, le train s'arrête tout à coup dans un village. Le conducteur passe devant les wagons en criant :

– Les voyageurs descendent ici.

Phileas Fogg regarde Sir Francis Cromarty qui ne semble pas comprendre pourquoi on s'arrête.

Passepartout descend du train pour voir ce qui se passe et revient bientôt en s'écriant :

– Monsieur, plus de chemin de fer* !

– Que voulez-vous dire ? demande Sir Francis Cromarty.

– Je veux dire que les voies ne sont pas finies et que le train ne peut plus avancer.

Sir Francis Cromarty descend aussitôt du train, suivi de Phileas Fogg.

– Vous donnez des billets de Bombay à Calcutta alors que vous savez qu'il y a un endroit où on ne peut pas continuer ! dit Sir Cromarty, furieux, au conducteur.

– Bien sûr, répond le conducteur, mais, normalement, tous les voyageurs le savent. Ils se font transporter jusqu'à Allahabad pour reprendre le train.

– Sir Francis, dit Mr. Fogg calmement, nous allons donc chercher le moyen d'aller à Allahabad, comme tout le monde.

Passepartout, qui est parti faire un tour, vient alors trouver son maître.

– Monsieur, lui dit-il, je crois que j'ai trouvé un moyen de transport.

– Lequel ?

– Un éléphant, qui appartient à un Indien qui habite près d'ici.

– Allons voir l'éléphant, répond Mr. Fogg.

Cinq minutes plus tard, les trois hommes se trouvent dans la maison du propriétaire de l'éléphant.

Phileas Fogg, après une longue discussion, parvient à acheter l'éléphant à l'Indien.

Il paie immédiatement la forte quantité qu'il a proposée. Puis il cherche un guide qu'il n'a aucune difficulté à trouver. C'est un jeune homme sympathique à la figure intelligente.

Les voyageurs achètent des provisions[1] pour le voyage puis Sir Francis s'installe dans le siège qui est placé sur l'un des côtés de l'animal et Mr. Fogg dans

---

1. Provisions : nourriture.

celui qui est placé sur l'autre. Passepartout monte sur le dos de l'animal entre son maître et Sir Francis. Le guide monte sur le cou de l'éléphant et, à neuf heures, l'animal quitte le village et s'enfonce dans une épaisse forêt.

Le guide est habile et conduit très bien l'animal. Après un long trajet et plusieurs pauses, les voyageurs s'arrêtent enfin à huit heures du soir dans une sorte de maison en ruine pour y passer la nuit.

On a alors déjà fait la moitié du chemin pour arriver à la gare d'Allahabad.

Aucun incident ne se passe pendant la nuit.

À six heures du matin, on se remet en marche. Le guide espère arriver à la gare d'Allahabad le soir même.

Vers midi, ils se trouvent près de Kallenger, une petite ville située sur le Cani, un des sous-affluents* du Gange. On décide de s'arrêter sous des bananiers pour déjeuner.

À deux heures, le guide les fait entrer dans une épaisse forêt.

Le voyage semble se dérouler sans incident.

Cependant, à quatre heures, l'éléphant s'arrête soudain.

– Que se passe-t-il ? demande Sir Francis.

– Je ne sais pas, répond le guide, en écoutant attentivement un murmure confus.

Quelques instants après, le murmure devient plus définissable. C'est une sorte de concert de voix humaines et d'instruments de musique.

Passepartout est très attentif à ce qui se passe. Mr. Fogg attend patiemment, sans prononcer une parole.

Le guide descend de l'éléphant, l'attache à un arbre et s'enfonce dans la forêt. Quelques minutes plus tard, il revient et dit :

– C'est une procession de brahmanes[1] qui vient de ce côté. Il est préférable qu'ils ne nous voient pas.

Tous descendent de l'éléphant et vont se cacher entre les arbres.

Le bruit des voix et des instruments se rapproche.

À travers les branches des arbres, les voyageurs voient parfaitement ce qui se passe.

D'abord, s'avancent les prêtres[2]. Ils sont entourés d'hommes, de femmes et d'enfants qui chantent un air très triste.

Derrière eux, sur un char*, apparaît une statue très laide.

Sir Francis reconnaît cette statue.

– C'est la déesse Kâli, murmure-t-il, la déesse de l'amour et de la mort.

Derrière, quelques brahmanes traînent une femme qui a des difficultés à marcher.

Cette femme est jeune. Sa tête, son cou, ses épaules, ses oreilles, ses bras et ses mains sont chargés de bijoux.

Derrière cette femme, des gardes armés portent

---

1. Brahmane : membre de la première des castes de l'Inde.
2. Prêtre : représentant de la religion.

un cadavre sur un palanquin*. C'est le corps d'un vieil homme.

Puis arrivent les musiciens qui ferment le cortège[1].

Sir Francis regarde d'un air triste et, se tournant vers le guide, il demande :

– Un sutty ?

Le guide fait un signe affirmatif et met un doigt sur ses lèvres.

Le long cortège s'éloigne bientôt dans la forêt.

Dès qu'il disparaît, Phileas Fogg demande :

– Qu'est-ce qu'un sutty ?

– Un sutty, monsieur Fogg, répond Sir Francis, c'est un sacrifice humain. Cette femme, que vous venez de voir, sera brûlée demain aux premières heures du jour.

– Ah ! les misérables ! s'écrie Passepartout.

– Et ce cadavre ? demande Mr. Fogg.

– C'est celui du prince, son mari.

– La malheureuse ! murmure Passepartout, brûlée vive !

– Mais où la conduit-on ? demande Mr. Fogg.

– À la pagode[2] de Pillaji, qui se trouve près d'ici, répond le guide. Elle y passera la nuit en attendant l'heure du sacrifice qui aura lieu demain matin.

Après cette réponse, le guide conduit l'éléphant sur le chemin et monte sur son cou.

---

1. Cortège : ensemble des personnes qui marchent les unes derrière les autres dans une cérémonie.
2. Pagode : temple des pays d'Extrême-Orient consacré au culte de Bouddha.

Mr. Fogg dit alors à Sir Francis :

– Si nous sauvions cette femme ?

– Sauver cette femme, monsieur Fogg !... s'écrie Sir Francis.

– J'ai encore douze heures d'avance. Je peux les consacrer à cela.

– Vous êtes un homme de cœur ! dit Sir Francis.

– Quelquefois, répond Phileas Fogg. Quand j'ai le temps.

Phileas Fogg demande au guide et à Passepartout ce qu'ils en pensent. Tous deux sont d'accord et acceptent de sauver la jeune femme.

Ils décident d'attendre la nuit pour agir.

Dès que la nuit tombe, vers six heures du soir, ils s'approchent discrètement de la pagode.

Près de la pagode, ils voient un grand tas de bois. C'est le bûcher[1].

Ils attendent qu'il fasse nuit noire et que tous les gens soient endormis pour faire quelque chose. Mais la nuit passe et ils ne peuvent rien faire, car les gardes qui se tiennent devant la pagode où se trouve la jeune femme veillent.

La nuit paraît longue. Les heures passent lentement.

Enfin, le ciel commence à annoncer la venue du jour, mais il fait encore très sombre.

---

1. Bûcher : tas de bois sur lequel on brûle le corps d'un mort ; c'est là que sera brûlée la jeune veuve.

Les portes de la pagode s'ouvrent. Une lumière vive s'échappe de l'intérieur et Mr. Fogg et Sir Francis peuvent voir la victime que deux prêtres traînent dehors. La malheureuse essaie de s'échapper mais en vain.

La foule se met en marche. Phileas Fogg et ses compagnons la suivent. Ils se placent devant le bûcher où le corps du mari de la jeune femme est déjà couché.

On place la jeune femme à côté du mort. On approche une torche[1] du bois qui commence aussitôt à brûler.

Phileas Fogg veut alors s'élancer sur le bûcher et Sir Francis et le guide doivent le retenir.

Un cri de terreur s'élève soudain et toute la foule se jette à terre, effrayée.

Le prince n'est pas mort car on le voit se redresser tout à coup, soulever la jeune femme dans ses bras et descendre du bûcher.

Le ressuscité[2] traverse la foule en portant la jeune femme évanouie dans ses bras et arrive à l'endroit où se trouvent Phileas Fogg et Sir Francis.

– Partons, vite ! dit-il.

C'est Passepartout qui s'est glissé vers le bûcher au milieu de la fumée et qui, profitant du reste d'obscurité, a arraché la jeune femme à la mort !

Un instant après, ils disparaissent tous dans le bois et l'éléphant les emporte rapidement.

---

1. Torche : bâton que l'on brûle pour éclairer.
2. Ressuscité : personne morte qui revient à la vie.

Une heure après avoir quitté la pagode de Pijalli, le guide décide de faire un arrêt pour permettre à l'éléphant de se reposer. Il est sept heures.

La jeune femme est toujours inanimée.

Sir Francis dit à Phileas Fogg que la jeune femme ne sera en sécurité que si elle quitte l'Inde.

Phileas Fogg lui répond qu'il tiendra compte de cette observation.

On reprend la route.

Vers dix heures, le guide annonce qu'on arrive à la gare d'Allahabad. Là, le chemin de fer fonctionne et, en moins d'un jour et d'une nuit, il peut les mener à Calcutta.

Phileas Fogg doit donc arriver à temps pour prendre un paquebot qui ne part que le lendemain, 25 octobre, pour Hong Kong.

La jeune femme est déposée dans une chambre de la gare et Passepartout est chargé d'aller lui acheter des vêtements : robe, manteau, etc., tout ce qu'il trouvera.

La jeune femme reprend enfin connaissance. Elle dit qu'elle s'appelle Mrs. Aouda et, après avoir écouté le récit de Phileas Fogg sur son sauvetage, elle remercie beaucoup les voyageurs. C'est une femme charmante qui parle l'anglais à la perfection.

Cependant, le train va bientôt partir.

Phileas Fogg va trouver le guide et lui paie ce qu'il lui doit. Et, pour le remercier de son courage et de sa sympathie, il lui fait cadeau de l'éléphant.

Quelques minutes plus tard, Phileas Fogg, Mrs. Aouda, Sir Francis et Passepartout, installés dans un wagon confortable, partent pour Calcutta.

Pendant le trajet, Mr. Fogg et Sir Francis bavardent avec Mrs. Aouda. Phileas Fogg lui offre, très froidement d'ailleurs, de la conduire à Hong Kong où elle pourra rester jusqu'à ce que cette affaire se soit calmée.

Mrs. Aouda accepte avec reconnaissance. D'autre part, elle a de la famille à Hong Kong et elle pense pouvoir habiter chez eux.

À midi et demi, le train s'arrête à Bénarès. C'est là que doit descendre Sir Francis. Il fait donc ses adieux à ses compagnons de voyage et quitte le train.

À partir de Bénarès, le train suit en partie la vallée* du Gange.

Enfin, à sept heures du matin, on atteint Calcutta.

Le paquebot qui va à Hong Kong ne part qu'à midi. Phileas Fogg a donc cinq heures devant lui. Il est arrivé comme prévu à Calcutta le 25 octobre, vingt-trois jours après avoir quitté Londres. Il n'a donc ni retard ni avance.

CHAPITRE IV

*L*E TRAIN S'EST ARRÊTÉ EN GARE. Passepartout, Mr. Fogg et Mrs. Aouda descendent sur le quai.

Phileas Fogg se rend directement au paquebot de Hong Kong pour y installer confortablement Mrs. Aouda.

Le bateau, qui s'appelle le *Rangoon*, est aussi rapide que le *Mongolia* mais moins confortable.

Pendant la traversée, Mrs. Aouda fait un peu plus connaissance avec Phileas Fogg. Ce dernier l'écoute toujours avec beaucoup d'attention mais sans montrer la plus légère émotion.

Au début, Mrs. Aouda est un peu surprise devant les réactions de son sauveur mais Passepartout lui parle de l'excentrique personnalité de son maître et elle commence à mieux le comprendre. Elle sait aussi le pari qu'il a fait avec ses amis et souhaite de tout son cœur qu'il le gagne.

La première partie de la traversée du *Rangoon* se déroule dans des conditions excellentes.

Mais qu'est devenu l'inspecteur Fix ?

Il a changé d'avis et, sans le mandat d'arrêt, il a pris le train suivant qui menait à Calcutta où il est arrivé avant Phileas Fogg qui a été retardé par le sauvetage de Mrs. Aouda.

Il a surveillé les arrivées en gare et, quand il a vu Phileas Fogg, il l'a suivi et s'est embarqué discrètement sur le *Rangoon*, après avoir laissé des instructions pour que le mandat d'arrêt soit envoyé à Hong Kong.

Il en est certain : c'est à Hong Kong que Phileas Fogg sera arrêté.

Depuis qu'il a revu le gentleman, une chose le trouble un peu : c'est la présence de Mrs. Aouda. Qui est cette femme ? Comme il veut en savoir plus, il décide de se faire reconnaître par Passepartout pour l'interroger.

On est le 31 octobre.

Passepartout se promène à l'avant du bateau quand l'inspecteur se précipite vers lui et s'écrie :

– Vous sur le *Rangoon* !

– Monsieur Fix ! répond Passepartout, surpris. Quoi ! Je vous laisse à Bombay et je vous retrouve sur la route de Hong Kong ! Mais vous faites donc aussi le tour du monde !

– Non, non, répond Fix mais mes affaires m'obligent souvent à me déplacer. Et votre maître, comment va-t-il ?

– Très bien et toujours aussi ponctuel ! Pas un jour de retard. Ah ! monsieur Fix, vous ne savez pas cela mais nous avons aussi une jeune femme avec nous.

– Une jeune femme ? répond l'inspecteur en prenant un air étonné.

Et Passepartout lui raconte leur aventure.

– Mr. Fogg va donc emmener cette jeune personne en Europe.

– Non ! Nous allons simplement la laisser dans sa famille, à Hong Kong.

À partir de ce jour, Passepartout et l'inspecteur passent de longs moments ensemble sur le bateau.

Fix ne voit que de temps en temps Mr. Phileas Fogg, qui reste souvent dans le grand salon du *Rangoon* où il bavarde avec Mrs. Aouda. Parfois, pour ne pas perdre ses habitudes, il joue aussi au whist avec des voyageurs.

Le temps, qui jusque-là est assez beau, change soudain le 1er novembre. La mer devient mauvaise. Le bateau doit donc ralentir sa marche.

Phileas Fogg assiste au spectacle de la tempête avec son impassibilité habituelle. Mais Passepartout est furieux. Il a peur que ce changement climatique fasse perdre du temps à son maître.

Le 4 novembre, le temps est meilleur. Le *Rangoon* reprend sa vitesse normale. Mais on a cependant perdu vingt-quatre heures à cause de la tempête et le bateau arrive le 6 au port de Hong Kong alors qu'il devait arriver le 5.

En arrivant à Hong Kong, Mr. Fogg se renseigne pour savoir quand part le steamer qui se rend à Yokohama. On lui apprend qu'il est déjà parti.

Mr. Fogg reçoit la nouvelle calmement et déclare qu'il faut d'abord aller voir la famille de Mrs. Aouda avant de régler ce petit incident. Il demande à Passepartout d'aller faire quelques courses et de le retrouver, dans une heure, au port. Puis il se rend avec Mrs. Aouda chez les cousins de la jeune femme. Là, ils apprennent que la famille de cette dernière est partie en Europe.

À cette nouvelle, Mrs. Aouda reste d'abord sans voix. Puis elle passe sa main sur son front et dit :

– Que dois-je faire, monsieur Fogg ?

– C'est très simple, répond le gentleman, aller en Europe.

– Mais je ne peux pas abuser...

– Vous n'abusez pas et votre présence ne dérange pas du tout mon programme.

Mrs. Aouda accepte.

Il faut maintenant régler le problème du moyen de transport pour Yokohama.

Phileas Fogg, donnant son bras à Mrs. Aouda, retourne au port où il retrouve Passepartout qui est en compagnie de Fix. Là, il se renseigne un peu partout pour trouver un bateau.

Au bout d'une heure, il n'a pas encore trouvé de solution.

Un marin s'approche alors de lui et demande :

– Monsieur cherche un bateau ? J'ai une goélette* qui marche bien, si vous voulez l'utiliser.

– En effet, je cherche un bateau, répond Phileas

Fogg. J'ai manqué le départ du *Carnatic* qui se rend à à Yokohama, pouvez-vous m'y conduire ?

– Monsieur veut rire ?

– Absolument pas ! répond Mr. Fogg. Je vous offre cent livres par jour et une prime[1] de deux cents livres si j'arrive à temps.

– C'est sérieux ? demande le marin.

– Très sérieux, répond Mr. Fogg.

Le marin s'éloigne un peu et se met à regarder la mer tout en réfléchissant. Puis il s'approche à nouveau de Mr. Fogg.

– Eh bien ? demande celui-ci.

– Eh bien, c'est d'accord, répond le marin. Mais je vous conduis seulement à Shanghai.

– Ce n'est pas à Shanghai que je veux aller mais à Yokohama pour prendre le bateau qui va à San Francisco.

– Monsieur, le bateau qui va à San Francisco part de Shanghai.

– Vous en êtes sûr ?

– Absolument !

– Et quand quitte-t-il Shanghai ?

– Le 11, à sept heures du soir. Nous avons le temps.

– Parfait ! Quand pouvons-nous partir ?

– Dans une heure, monsieur.

---

1. Prime : quantité d'argent qu'une personne reçoit en plus de son salaire.

– Voici un peu d'argent, lui dit Phileas Fogg en lui donnant des billets ; puis, se tournant vers Fix, si vous voulez profiter...

– Merci, monsieur, lui répond l'inspecteur, j'accepte avec plaisir. Je devais rester ici mais je viens d'apprendre qu'il faut que je me rende à San Francisco, c'est pourquoi je suis revenu au port.

Il est facile de comprendre que Fix n'a pas reçu de mandat et qu'il ne veut pas perdre de vue Mr. Fogg.

À trois heures dix, tous sont dans la goélette, nommée la *Tankadère*, et se dirigent vers Shanghai.

Pendant cette journée, la *Tankadère* se comporte parfaitement.

La nuit vient. Le lendemain, au lever du jour, la goélette a fait plus de cent milles[1].

Vers midi, Phileas Fogg, Mrs. Aouda et Passepartout mangent avec appétit. Fix est invité à partager leur repas et doit accepter.

Le repas terminé, il dit discrètement à Mr. Fogg :

– Monsieur, vous avez été très aimable en m'offrant de voyager à bord de la *Tankadère* mais je tiens à payer ma part.

– Ne parlons pas de cela, monsieur, dit Mr. Fogg.

Fix s'incline, furieux. Il ne veut rien devoir à cet homme.

Cependant, on avance rapidement. Le capitaine dit à Mr. Fogg qu'on va arriver en temps voulu à Shanghai.

---

1. Mille : unité de distance utilisée par les marins et qui vaut 1852 m.

Malheureusement, le 10 novembre, une tempête se lève. Pendant toute la journée, la goélette navigue lentement, emportée par des vagues énormes. Avec la nuit, la tempête est encore plus forte.

Le lendemain, 11 novembre, au lever du jour, le capitaine de la *Tankadère* déclare qu'on est à cent milles de Shanghai. Cent milles et il ne reste que cette journée pour les faire ! C'est le soir même que Mr. Fogg doit arriver à Shanghai s'il ne veut pas manquer le départ du bateau de Yokohama.

À midi, la goélette n'est plus qu'à quarante-cinq milles de Shanghai. On est inquiet à bord.

À sept heures, on est encore à trois milles de Shanghai. Tout semble perdu ! Mais, à ce moment, on voit au loin un paquebot. C'est le paquebot pour San Franscisco

– Faites des signaux ! dit Mr. Fogg au capitaine, et mettez le drapeau en berne[1].

Le capitaine s'exécute aussitôt.

Le 13 novembre, le *Carnatic* entre dans le port de Yokohama. À son bord, se trouvent Phileas Fogg et ses amis ainsi que Fix.

Le capitaine a vu les signaux envoyés par la *Tankadère* et s'est approché de la goélette. C'est ainsi que nos amis ont pu poursuivre leur route jusqu'à Yokohama.

Le paquebot qui fait la traversée de Yokohama à

---

1. Mettre un drapeau en berne : le serrer pour qu'il ne flotte plus afin d'indiquer qu'on est en difficulté.

San Franscisco se nomme le *General-Grant* et doit partir le 14.

Avant d'embarquer, Mr. Fogg, Mrs. Aouda et Passepartout vont faire quelques achats. Quant à l'inspecteur Fix, il va à ses affaires.

Enfin, l'heure du départ arrive.

Pendant la traversée, il ne se produit aucun incident nautique. L'océan Pacifique justifie bien son nom.

Mr. Fogg est aussi calme et peu communicatif que d'habitude. Sa jeune compagne éprouve de plus en plus d'amitié pour cet homme et s'intéresse énormément à son pari.

Neuf jours après avoir quitté Yokohama, Phileas Fogg a parcouru la moitié du globe terrestre.

Mais, où est Fix en ce moment ?

Fix est naturellement à bord du *General-Grant*.

En effet, en arrivant à Yokohama, il est allé immédiatement au bureau du consul. Là, il a enfin trouvé le mandat d'arrêt mais il est devenu inutile car Mr. Fogg a quitté les possessions anglaises. Pour Fix, il ne reste plus qu'une chose à faire : poursuivre le voyage avec Mr. Fogg afin de l'arrêter quand il posera de nouveau le pied en Angleterre. Voilà pourquoi Fix se trouve sur le paquebot.

Le 3 décembre, le *General-Grant* arrive à San Francisco.

Mr. Fogg n'a pas perdu un seul jour.

CHAPITRE V

*I*L EST SEPT HEURES DU MATIN quand Phileas Fogg, Mrs. Aouda et Passepartout arrivent sur le continent* américain.

Aussitôt débarqué, Mr. Fogg s'informe de l'heure à laquelle part le premier train pour New York. C'est à six heures du soir. Mr. Fogg dispose donc d'une journée pour se promener dans la ville. Il fait donc venir une voiture et se fait conduire à l'International-Hôtel.

Le restaurant de l'hôtel est très confortable. Mr. Fogg et Mrs. Aouda s'installent à une table et se font servir un excellent repas.

Après le déjeuner, ils partent faire une promenade dans la ville puis ils reviennent se reposer à l'hôtel avant le départ du train.

À cinq heures et demie, les voyageurs prennent une voiture pour se rendre à la gare où ils trouvent le train prêt à partir.

À six heures du soir, quand le train part, il fait déjà nuit.

À huit heures, un steward[1] entre dans le wagon qu'occupent Mr. Fogg et ses amis, ainsi que l'inspec-

---

1. Steward : employé qui s'occupe des voyageurs.

teur Fix, et annonce que l'heure du coucher a sonné. Des cabines sont installées en quelques instants et chacun a bientôt à sa disposition un lit confortable. Il ne reste plus qu'à se coucher et dormir, ce que tous font aussitôt.

À sept heures du matin, on vient réveiller les voyageurs. Une heure après, le dortoir[1] est redevenu un wagon ordinaire.

À midi, le train s'arrête vingt minutes à Reno pour que les voyageurs puissent déjeuner.

Après le déjeuner, Mr. Fogg, Mrs. Aouda et leurs compagnons reprennent leur place dans le wagon et se disposent à regarder le paysage varié qui passe sous leurs yeux : prairies*, montagnes à l'horizon, creeks*. Parfois un grand troupeau[2] de bisons[3] qu'on aperçoit au loin. Ces animaux opposent souvent de grands obstacles au passage des trains. C'est d'ailleurs ce qui se passe à trois heures de l'après-midi.

En effet, un troupeau de dix à douze mille têtes apparaît soudain sur la voie. Le train est obligé de s'arrêter pour les laisser passer.

Quand les bisons ont adopté une direction, rien ne peut leur faire modifier leur marche.

La plupart des voyageurs observent, par les vitres du train, ce curieux spectacle. Quant à Phileas Fogg, il attend patiemment que les animaux finissent de pas-

---

1. Dortoir : salle, wagon où dorment plusieurs personnes.
2. Troupeau : groupe d'animaux.
3. Bison : bœuf sauvage qui a une bosse sur le dos.

ser. Passepartout, lui, est vraiment furieux.

– Quel pays ! s'écrie-t-il. De simples bœufs qui arrêtent des trains. J'espère que cela ne va pas trop retar-
der mon maître.

Le défilé des bisons dure trois grandes heures et la
voie ne devient libre qu'à la tombée de la nuit.

À neuf heures et demie, le train pénètre dans le
territoire de l'Utah.

Le 7 décembre, la neige tombe abondamment pendant la nuit mais elle ne gêne en rien la marche du
train. Pourtant, ce mauvais temps inquiète
Passepartout.

– Quelle idée mon maître a eue de voyager en
hiver ! se dit-il souvent.

Le voyage se poursuit cependant sans incident,
avec ses différents arrêts.

Mr. Fogg a naturellement trouvé des voyageurs
pour jouer aux cartes avec lui et il passe beaucoup de
temps à bavarder avec Mrs. Aouda.

Le 8 décembre, à 11 heures, on arrive à la gare de
Plum-Creek. Mr. Fogg se lève et, suivi de Passepartout,
il se dirige vers la portière pour aller marcher un
moment sur le quai. Le conducteur les voit et leur dit :

– On ne descend pas, messieurs.

– Et pourquoi ? demande Mr. Fogg.

– Nous avons vingt minutes de retard et le train
repart immédiatement.

La cloche sonne en effet et le train se remet en
marche.

Le train avance depuis une demi-heure quand, soudain, des cris sauvages retentissent, accompagnés de coups de feu.

Mr. Fogg prend vite un revolver et sort du wagon. Il a compris que le train est attaqué par des Sioux[1].

Les Indiens ont en effet escaladé les wagons et envahissent le train.

Les voyageurs, presque tous armés, se défendent avec courage.

On n'entend que des cris et des coups de feu.

Dès le début de l'attaque, Mrs. Aouda se comporte courageusement. Le revolver à la main, elle tire quand elle voit un ennemi s'approcher.

Mais il faut en finir. Cette lutte dure depuis dix minutes et va se terminer en faveur des Sioux si le train ne s'arrête pas. En effet, la gare du Fort[2] Kearney est à environ deux milles de distance. Là, se trouve un poste américain, mais une fois ce poste passé, entre le fort de Kearney et la gare suivante, les Sioux seraient les maîtres du train.

Le conducteur se bat à côté de Mr. Fogg quand une balle le touche. En tombant il s'écrie :

– Nous sommes perdus si le train ne s'arrête pas avant cinq minutes.

– Il s'arrêtera ! dit Phileas Fogg, qui se précipite hors du wagon.

---

1. Sioux : Indiens d'Amérique du Nord.
2. Fort : construction qui protège un lieu des attaques possibles des ennemis.

– Restez, monsieur, lui crie Passepartout. J'y vais.

Et le courageux garçon, sans être vu des Indiens, parvient à se glisser sous le wagon. Et, tandis que la lutte continue, se faufilant[1] sous les wagons et s'accrochant aux chaînes[2], il arrive à l'avant du train.

Personne ne l'a vu.

Là, il parvient à détacher le train de la locomotive, qui continue sa route alors que le train reste peu à peu en arrière. Il s'arrête enfin à moins de cent pas de la gare de Kearney.

Les soldats du fort, attirés par les coups de feu, arrivent alors rapidement ; mais les Sioux sont déjà partis.

Quand les voyageurs se comptent sur le quai de la gare, ils constatent qu'il manque trois personnes et, parmi eux, Passepartout qui vient, grâce à son courage, de les sauver.

---

1. Se faufiler : se glisser habilement sans se faire voir.
2. Chaîne : des anneaux de métal, attachés les uns aux autres, forment une chaîne.

CHAPITRE VI

QUE SONT DEVENUES ces trois personnes ? Ont-elles été tuées pendant le combat ? Sont-elles prisonnières des Sioux ? On l'ignore.

Mrs. Aouda est saine et sauve[1] ; Phileas Fogg, qui a beaucoup lutté, n'a pas une seule égratignure[2]. Fix est blessé au bras mais la blessure est superficielle.

Les voyageurs ont quitté le train.

Mr. Fogg, les bras croisés, reste immobile. Il doit prendre une grave décision. Mrs. Aouda, près de lui, le regarde sans prononcer une parole... Il comprend ce regard. Si son serviteur est prisonnier des Indiens, il doit agir !

– Je le retrouverai, mort ou vivant, dit-il simplement.

– Ah ! monsieur Fogg ! s'écrie la jeune femme en prenant les mains de son compagnon qu'elle couvre de larmes.

– Vivant ! ajoute Mr. Fogg.

Plusieurs soldats du fort s'offrent pour l'accompa-

---

1. Sain et sauf : en bon état physique après un danger.
2. Égratignure : petite blessure très légère.

gner. Fix le lui propose aussi.

– Comme vous voulez, monsieur, mais je préfére-
rais que vous restiez auprès de Mrs. Aouda.

Quelques instants après, Mr. Fogg serre la main de
la jeune femme puis il part avec la troupe de soldats.

Mrs. Aouda se retire dans une chambre de la gare
et là, seule, elle attend en pensant à Phileas Fogg, à sa
générosité simple et à son courage tranquille.

L'inspecteur Fix, lui, se promène nerveusement sur
le quai de la gare. Il a peur que Phileas Fogg s'échappe.

Le soir tombe. Il n'y a aucune nouvelle de la troupe.

Mrs. Aouda décide de se coucher mais elle ne peut
pas dormir de toute la nuit.

À l'aube, il n'y a toujours aucun mouvement.

Enfin, à sept heures du matin, on entend des coups
de feu et on aperçoit une petite troupe qui avance.
Mr. Fogg marche en tête et, près de lui, Passepartout et
les deux autres passagers manquants.

Tous sont accueillis avec des cris de joie.

Fix, sans prononcer une parole, regarde Mr. Fogg.
Il est de plus en plus surpris par cet homme. Quant à
Mrs. Aouda, elle a pris la main du gentleman et la serre
dans les siennes.

Cependant, Passepartout, dès son arrivée, a cher-
ché le train dans la gare.

– Le train, le train ! s'écrie-t-il.

– Parti, répond Fix.

– Et le suivant passera quand ? demande Mr. Fogg.

– Ce soir seulement.

– Ah ! répond simplement l'impassible gentleman.

Phileas Fogg a maintenant un retard de vingt heures.

À ce moment, l'inspecteur Fix lui demande :

– Très sérieusement, monsieur, vous êtes pressé ?

– Très sérieusement, répondit Phileas Fogg. Il faut que j'arrive à New York le 11, avant neuf heures du soir, heure du départ du paquebot de Liverpool.

– Hier soir, dit Fix, un homme m'a proposé un moyen de transport : un traîneau* à voiles. C'est peut-être une solution pour arriver à la gare d'Omaha où l'on peut prendre un train qui conduit à Chicago et New York.

En faisant cette proposition, l'inspecteur Fix, le lecteur l'a compris, n'a qu'une idée en tête : arriver le plus vite possible sur le sol anglais pour arrêter Mr. Fogg.

Phileas Fogg accepte et ils vont trouver l'homme au traîneau. Ils se mettent très vite d'accord et, à huit heures, le traîneau est prêt à partir. Les voyageurs s'y installent et se serrent dans leurs couvertures de voyage. Les deux voiles sont hissées et, grâce au vent favorable, le traîneau avance rapidement sur la neige.

Quelle traversée ! Les voyageurs, pressés les uns contre les autres, ne peuvent pas parler. Le froid est en plus très intense. Mais, en cinq heures, le conducteur parcourt la distance et, à une heure, les voyageurs sont à Omaha.

Passepartout et Fix sautent immédiatement à terre

et aident Mr. Fogg et la jeune femme à descendre du traîneau. Mr. Fogg paie généreusement le conducteur et tous se précipitent vers la gare.

Quand ils arrivent, le train direct est prêt à partir et ils ont juste le temps de monter.

Le 11 décembre, à onze heures un quart du soir, le train arrive à New York.

Le *China*, à destination de Liverpool, est parti depuis quarante-cinq minutes !

CHAPITRE VII

*P*ASSEPARTOUT EST DÉSESPÉRÉ. Avoir manqué le paquebot de quarante-cinq minutes, cela le tue. Mr. Fogg, lui, est toujours aussi impassible.

– Nous verrons demain, dit-il.

Puis il appelle un fiacre* qui les conduit à l'hôtel Saint-Nicolas, dans Broadway.

Le lendemain, 12 décembre, à sept heures du matin, Mr. Fogg quitte l'hôtel seul, après avoir demandé à son domestique de l'attendre et de prévenir Mrs. Aouda de se tenir prête à partir.

À huit heures et demie pile, il est de retour à l'hôtel. Il a acheté un bateau à un Anglais et, contre une forte somme d'argent, il a réussi à convaincre l'homme de le mener à Queenstown, en Irlande. De là, il pourra se rendre à Dublin puis à Liverpool.

Quand l'inspecteur Fix apprend la nouvelle, il se dit que, décidément, la Banque d'Angleterre n'aura plus grand chose quand Phileas Fogg sera enfin arrêté.

À neuf heures, les quatre voyageurs embarquent sur le bateau.

Le 20 décembre, vers une heure du matin, le

bateau entre dans le port de Queenstown.

Les voyageurs débarquent aussitôt. Ils se rendent à la gare et, à une heure et demie, ils prennent un train qui arrive à Dublin au lever du jour. De là, ils s'embarquent sur un steamer qui les mène à Liverpool.

À midi moins vingt, le 21 décembre, Phileas Fogg débarque enfin sur le quai de Liverpool. Il n'est plus qu'à six heures de Londres.

Mais, à ce moment, Fix s'approche, lui met la main sur l'épaule et, lui montrant son mandat :

– Vous êtes bien monsieur Phileas Fogg ? lui dit-il.

– Oui, monsieur.

– Au nom de la reine, je vous arrête.

Phileas Fogg est en prison, à la douane[1] de Liverpool.

Assis sur un banc, il attend calmement... Quoi ? Conserve-t-il encore un peu d'espoir[2] ?

Il a posé sa montre sur la table et il regarde les aiguilles avancer.

À deux heures trente-trois minutes, on entend un bruit de portes qui s'ouvrent et la voix de Passepartout et de Fix. Le regard de Phileas Fogg brille un instant.

La porte du poste s'ouvre et il voit Mrs. Aouda, Passepartout et Fix qui se précipitent vers lui.

Fix a les cheveux en désordre et a du mal à parler.

---

1. Douane : service placé à une frontière qui contrôle le passage des gens et des marchandises.
2. Espoir : sentiment qui permet d'espérer.

– Monsieur, balbutie-t-il, monsieur... pardon... une horrible erreur... Voleur arrêté il y a trois jours. Vous... libre !

Phileas Fogg est libre. Il s'avance vers le détective, le regarde bien en face et lui donne deux bons coups de poings.

Puis il rentre avec ses amis à Londres où, après avoir fait ce voyage autour du monde, il arrive avec un retard de cinq minutes.

Il a perdu son pari.

CHAPITRE VIII

*L*E LENDEMAIN, Phileas Fogg fait venir Passepartout et lui demande de s'occuper de Mrs. Aouda pour qu'elle ne manque de rien chez lui et il reste enfermé dans sa chambre.

Vers sept heures et demie du soir, il fait demander à Mrs. Aouda si elle peut le recevoir.

Quelques instants après, il est seul avec elle.

Il reste sans parler pendant cinq minutes. Puis il lève les yeux sur elle :

– Madame, dit-il, me pardonnez-vous de vous avoir emmenée en Angleterre ?

– Mais, monsieur Fogg...

– Permettez-moi de finir, reprend Mr. Fogg. Quand je vous ai éloignée de votre pays, devenu si dangereux pour vous, j'étais riche et je voulais mettre une partie de ma fortune à votre disposition. Maintenant, je suis ruiné. Cependant, je vous propose de vous aider avec le peu qu'il me reste.

– Mais, vous, monsieur Fogg, que deviendrez-vous ? demande Mrs. Aouda.

– Moi, madame, répond froidement le gentleman, je n'ai besoin de rien.

– Mais vos amis...

– Je n'ai pas d'amis, madame.

– Vos parents...

– Je n'ai plus de famille.

– Monsieur Fogg, dit alors Mrs. Aouda qui se lève et lui tend la main, voulez-vous à la fois une parente et une amie ? Voulez-vous de moi pour femme ?

Mr. Fogg ferme les yeux un instant. Quand il les rouvre, il dit :

– Je vous aime ! Je vous ai toujours aimée.

– Ah ! s'écrie Mrs. Aouda en mettant sa main sur son cœur.

Mr. Fogg appelle aussitôt Passepartout.

Il lui dit d'aller trouver le révérend[1] de la paroisse[2] de Mary-le-bone pour lui demander s'il peut célébrer un mariage demain, lundi.

Passepartout, enchanté, part en courant.

À huit heures trente-huit, il revient chez son maître, essoufflé[3] et tout agité. Il ne peut pas parler.

– Qu'y a-t-il ? demande Mr. Fogg.

– Mon maître..., balbutie Passepartout, mariage... impossible.

– Impossible ?

– Impossible... pour demain.

– Pourquoi ?

– Parce que demain... c'est dimanche.

– Lundi, répond Mr. Fogg.

---

1. Révérend : pasteur de l'Église anglicane.
2. Paroisse : territoire qui dépend d'un pasteur.
3. Essoufflé : qui a du mal à respirer.

– Non... aujourd'hui... samedi.

– Samedi ? Impossible !

– Si, si, si, si ! s'écrie Passepartout. Vous vous êtes trompé d'un jour ! Nous sommes arrivés vingt-quatre heures en avance... mais il ne reste plus que dix minutes !...

Passepartout saisit son maître et l'entraîne de force.

Phileas Fogg, sans avoir le temps de réfléchir, quitte sa maison et arrive à huit-heures quarante-cinq précises dans le salon du Reform-Club.

– Me voici, messieurs, dit-il à ses compagnons de jeu.

Il a gagné son pari ! Il a fait ce tour du monde en quatre-vingts jours !

Et maintenant, voyons comment cet homme si exact a pu commettre cette erreur de jour.

C'est très simple.

Phileas Fogg a, sans s'en douter, gagné un jour sur son itinéraire et cela parce qu'il a fait le tour du monde en allant vers l'est. En effet, en marchant vers l'est, il allait au-devant du soleil et, par conséquent, les jours diminuaient pour lui de quatre minutes à chaque fois qu'il franchissait un degré* dans cette direction. Or, on compte trois cent soixante degrés sur la surface de la Terre et ces trois cents soixante degrés, multipliés par quatre minutes, donnent précisément vingt-quatre heures !

Ainsi, Phileas Fogg a gagné son pari et naturellement... vingt mille livres !

Mais après ? Qu'a-t-il gagné en faisant ce tour du monde ? Qu'a-t-il rapporté de ce voyage ?

Rien dira-t-on ? Rien, d'accord, si ce n'est une charmante femme qui le rendra le plus heureux des hommes !

En vérité, ne ferait-on pas, pour moins que cela, le tour du monde ?

Les moyens de locomotion

Bateau : construction faite pour transporter des passagers sur l'eau.

Cab : voiture, d'origine anglaise, tirée par un cheval et dont le cocher est toujours placé derrière.

Char : voiture à deux roues, tirée par des bœufs.

Chemin de fer : moyen de transport qui utilise la voie ferrée.

Fiacre : voiture à cheval qu'on loue.

Goélette : voilier léger à voiles carrées ou triangulaires.

Palanquin : chaise ou litière portées par des hommes.

Paquebot : grand bateau qui transporte des passagers.

Steamer : bateau à vapeur.

Train : ensemble formé par une locomotive et les wagons qu'elle traîne.

Traîneau : véhicule qui glisse sur la neige.

Voiture : véhicule qui a des roues et qui est tiré par un animal.

Termes géographiques

Continent : grande étendue de terre entre deux océans.

Côte : bord de la mer.

Creek : mot anglais qui signifie ruisseau, cours d'eau.

Défilé : passage étroit entre deux montagnes.

Degré : unité de mesure qui permet d'établir la longitude d'un point à la surface de la Terre.

Montagne : importante élévation de terrain.

Prairie : terrain couvert d'herbe.

Sous-affluent : cours d'eau qui se jette dans un autre.

Vallée : espace allongé formé par un cours d'eau entre deux montagnes.

1) Répondre par vrai ou faux.

a)   Mr. Fogg habite à Dublin.

b)   Mr. Fogg aime jouer aux cartes.

c)   Le mari de Mrs. Aouda était âgé.

d)   Pour se rendre à Allahabad, Phileas Fogg utilise des chevaux.

e)   Sir Francis Cromarty aide Phileas Fogg à sauver Mrs. Aouda.

f)   Mrs. Aouda ne parle pas très bien l'anglais.

g)   En Amérique, le train dans lequel voyage Mr. Fogg est attaqué par des Indiens.

h)   L'inspecteur Fix arrête Mr. Fogg à Queenstown.

i)   Phileas Fogg épouse Mrs. Aouda.

2) Charades.

1) On fait mon premier quand on marche.

Le chien remue mon second quand il est content.

Mon troisième est le contraire de laid.

Mon tout est un moyen de transport.

2) Mon premier est le contraire de loin.

Je fais mon deuxième quand on me raconte une histoire amusante.

Mon tout est un terrain plein d'herbe.

3) Mettre les mots dans l'ordre pour trouver quatre noms de pays.

* nedi
* andilre
* pojan
* éraquime

4) Choisir la bonne réponse.

Passepartout est :
❒ anglais
❒ allemand
❒ français

Au Reform-Club, Phileas Fogg aime :
❒ écouter de la musique
❒ jouer aux dominos
❒ lire les journaux

Fix est :
❒ inspecteur de police
❒ douanier
❒ consul

Mrs. Aouda doit mourir :
❒ empoisonnée
❒ brûlée
❒ étranglée

Pour se rendre à la gare d'Omaha, depuis le Fort Kearney, Mr. Fogg et ses amis prennent :

❏ une diligence

❏ un traîneau

❏ des skis

Mr. Fogg et Mrs. Aouda veulent se marier :

❏ un samedi

❏ un jeudi

❏ un lundi

5) Trouver l'intrus.

- bateau - steamer - train - navire - barque
- montagne - mer - rivière - lac - océan
- New-York - Londres - Yokohama - Inde - Bénarès
- éléphant - bison - mouton - chien - poule

1) a) faux ; b) vrai ; c) vrai ; d) faux ; e) vrai ; f) faux ; g) vrai ; h) faux ; i) vrai

2) 1) pas - queue - beau = paquebot

2) près - ris = prairie

3) Inde ; Irlande ; Japon ; Amérique

4) français ; lire les journaux ; inspecteur de police ; brûlée ; un traîneau ; un lundi

5) train ; montagne ; Inde ; poule

Solutions

Édition : BFM

Illustrations : Jaume Bosch
Couverture : © Collection Christophe L.
Page 3 : Coll. Archive Larbor
N° de projet : 10188947 - juin 2012
Imprimé en France par l'imprimerie France Quercy - 46090 Mercuès
N° d'impression : 21137B